PATRICK SOBRAL

LA BELLE ET LA BÊTE

À la mémoire de mon grand-père Adrien, homme de cœur et d'honneur.
Patrick Sobral

Du même auteur, chez le même éditeur :
- *Les Légendaires* (quinze volumes)
- *Les Légendaires origines* (deux volumes) - dessin de Nadou

Dépôt légal : mars 2008. I.S.B.N. : 978-2-7560-1134-9

Conception graphique : Trait pour Trait

Achevé d'imprimer et relié en France en août 2013

www.editions-delcourt.fr

IL ÉTAIT UN VILLAGE PAISIBLE ISOLÉ DU RESTE DU PAYS PAR UNE CHAÎNE DE MONTAGNES. SES HABITANTS JOUISSAIENT D'UNE RELATIVE RETRAITE, LOIN QU'ILS ÉTAIENT DES CONFLITS QUI GANGRENAIENT LA NATION.
MAIS TOUTE CHOSE A UN PRIX ET LES VILLAGEOIS NE PURENT QUE LE CONSTATER CHAQUE ANNÉE DAVANTAGE. LA TERRE N'ÉTAIT PAS ASSEZ FERTILE POUR PERMETTRE AUX CULTURES DE NOURRIR LA POPULATION GRANDISSANTE.
LE VILLAGE EN VINT À QUÉRIR L'AIDE DU SORCIER GADIMOS DONT ON DISAIT LES POUVOIRS SANS LIMITES ET QUI DEMEURAIT AU COEUR DE LA FORÊT DE L'EST.
"QU'AVEZ-VOUS À OFFRIR EN ÉCHANGE DE MES SERVICES ?" DEMANDA CELUI-CI AUX VILLAGEOIS QUI, AUSSI PAUVRES QUE DÉSESPÉRÉS, NE SURENT QUE LUI PROPOSER POUR MONNAYER SON AIDE.
CE FUT UNE PETITE FILLE, LA PLUS JEUNE DU VILLAGE, QUI, À LA SURPRISE DE TOUS, PRIT LA PAROLE : "JE N'AI QUE CECI À VOUS OFFRIR, MAIS C'EST MON PLUS GRAND TRÉSOR. SAUVEZ MON VILLAGE EN ÉCHANGE DE CETTE ROSE BLANCHE."
TOUCHÉ PAR LA PURETÉ D'ÂME DE L'ENFANT, LE SORCIER GADIMOS ACCEPTA LE PRÉSENT ET RETOURNA À SON CHÂTEAU, NON SANS AVOIR FAIT LA PROMESSE SUIVANTE : "JE REVIENDRAI DANS UNE SEMAINE, JOUR POUR JOUR, AVEC UN ARTEFACT QUI REDONNERA À VOS TERRES FERTILITÉ !"
UNE SEMAINE S'ÉCOULA, JOUR POUR JOUR, PUIS UNE AUTRE, HEURE POUR HEURE. L'ESPOIR QUI AVAIT PRIS PLACE DANS LE COEUR DES VILLAGEOIS NE TARDA PAS À S'EFFACER DEVANT L'ANGOISSE DE NE JAMAIS REVOIR LE SORCIER, ET SURTOUT L'ARTEFACT.
NE TENANT PLUS, LE VILLAGE DÉLÉGUA QUELQUES HOMMES AUPRÈS DE GADIMOS, MAIS CE NE FUT PAS LE SORCIER QUI LES ACCUEILLIT À L'ORÉE DE LA FORÊT, HÉLAS. TROIS FOIS HÉLAS, CAR LA CRÉATURE QUI APPARUT AUX VILLAGEOIS EN LEUR BLOQUANT LE CHEMIN N'ÉTAIT AUTRE QUE...

... LA BÊTE !!
UN MONSTRE EFFRAYANT FAIT DE PIERRE, DE BOIS ET DE FEUILLES. UNE CRÉATURE QUI SEMBLAIT NE FAIRE QU'UNE AVEC LA FORÊT. SA VOIX SEMBLABLE AU CRAQUEMENT DES ARBRES SOUS LE VENT RÉSONNE ENCORE DANS LES OREILLES DE CEUX QUI L'ENTENDIRENT.
"LE SORCIER GADIMOS N'EST PLUS ! L'ARTEFACT QUE VOUS CONVOITEZ EST MIEN ! LES TERRES QUE VOUS FOULEZ SONT MIENNES ! QUITTEZ-LES CAR VOUS N'Y ÊTES PAS LES BIENVENUS ! OUBLIEZ LEUR EXISTENCE MAIS SOUVENEZ-VOUS DE MES PAROLES TELLES DES LOIS ! LA MORT ATTENDRA CEUX QUI LES VIOLERONT !"
LES VILLAGEOIS REVINRENT CHEZ EUX, BIEN DÉCIDÉS QU'ILS ÉTAIENT À OBTENIR LA VIE MEILLEURE QUI LEUR AVAIT ÉTÉ PROMISE. AUSSI, ILS SOLLICITÈRENT L'AIDE DE LA CAPITALE QUI DÉPÊCHA SUR PLACE UNE ESCOUADE DE CHEVALIERS AVEC POUR OBJECTIF DE TERRASSER LA BÊTE.
L'ESPOIR ÉTAIT REVENU AU VILLAGE...
... AUSSI ÉTINCELANT QUE LES ARMURES DE CES HÉROS.
UNE SEMAINE S'ÉCOULA, LES SOLDATS NE REVINRENT JAMAIS DE LEUR MISSION.
LES VILLAGEOIS PÉNÉTRÈRENT DANS LA FORÊT INTERDITE POUR CONSTATER QUE LES FIERS CHEVALIERS AVAIENT CONNU LE MÊME SORT QUE GADIMOS. CAR HÉLAS, TROIS FOIS HÉLAS, LEUR APPARUT DE NOUVEAU LA BÊTE, CETTE FOIS ACCOMPAGNÉE DES "GARDIENS", SES SOMBRES COMPAGNONS. ELLE S'ADRESSA ENCORE UNE FOIS AUX HOMMES, ET SES PAROLES SEMBLÈRENT FAIRE ÉCHO À CELLES PRONONCÉES LA PREMIÈRE FOIS.
"LES SOLDATS QUE VOUS AVEZ ENVOYÉS NE SONT PLUS ! L'ARTEFACT QUE VOUS CONVOITEZ EST MIEN ! LES TERRES QUE VOUS FOULEZ SONT MIENNES ! QUITTEZ-LES CAR VOUS N'Y ÊTES PAS LES BIENVENUS ! OUBLIEZ LEUR EXISTENCE MAIS SOUVENEZ-VOUS DE MES PAROLES TELLES DES LOIS ! LA MORT ATTENDRA CEUX QUI LES VIOLERONT !"

ET LES LOIS DE LA BÊTE FURENT RESPECTÉES PLUS DUNE DÉCENNIE
...
JUSQU'À CETTE NUIT.
POUR LA PREMIÈRE FOIS DEPUIS PLUS DE DIX ANS, UNE VOIX HUMAINE DÉCHIRE LES TÉNÈBRES DE LA FORÊT INTERDITE, EMPLIE DUNE FUNESTE PROMESSE.
À MORT !!!
À MORT !!!
À MORT !!!

HAAA...
PAUVRE FOLLE ! TU COMPTAIS RÉELLEMENT T'EN SORTIR À SI BON COMPTE ?
...
PARI RISQUÉ PUISQUE TU L'AS PERDU.
SAISISSEZ-LA !
PAR ICI, PETITE !
UH ?
BRRR
East
LES GARDIENS !!!
West
LES... GARDIENS... ?!

GALED ! DESMOND !
HAAAAAAAAGH...
ENFANTS DU DIABLE !
JUMEAUX DU DIABLE ...
... SERAIT PLUS JUSTE !
FRÈRE ÉDOUARD !!
FAITES ATTENTION !!!
QUE...
SHLASH
UN CONSEIL VALABLE POUR CHACUN DE VOUS !
North
ZIHAN !!
ÊTES-VOUS DÉSESPÉRÉS AU POINT QUE LE SUICIDE VOUS PARAÎT SI DOUX ?
SOIT !
HAA ...
South
...
JE ME SENS D'HUMEUR À EXAUCER DES SOUHAITS, CE SOIR !
ASSEZ !!!

QUE CESSENT CES COMBATS !!
La Bête avait surgi, majestueuse, telle une montagne. Et sa voix était aussi terrifiante que cent coups de tonnerre. La lune elle-même sembla diminuer d'éclat, comme si l'astre redoutait le courroux du maître des lieux.
SEUL SOUTH, LE BRAS DROIT DE LA BÊTE, OSA BRISER LE SILENCE PROVOQUÉ PAR L'ARRIVÉE DE SON SEIGNEUR.
LES VILLAGEOIS ONT VIOLÉ NOS LOIS. LA SENTENCE N'EST-ELLE PAS LA MORT ?
DOCTEUR BEAUMONT...
NOUS... N'EN AVONS PAS APRÈS L'ARTEFACT, MAIS APRÈS CETTE... FILLE !
ELLE N'EST NULLEMENT DE NOTRE VILLAGE. C'EST UNE VAGABONDE...
VRAIMENT ? ET POUR QUELLE RAISON POURSUIVIEZ-VOUS L'UNE DES VÔTRES SUR MES TERRES AU RISQUE DE SUBIR MA COLÈRE ?
... ET UNE VOLEUSE, QUI PLUS EST ! NOUS LUI AVONS OFFERT LE GÎTE TANTÔT, MAIS CETTE INGRATE S'EST ENFUIE AU MILIEU DE LA NUIT EN DÉROBANT LE PEU DE PAIN QU'IL NOUS RESTAIT ET... NOUS AUSSI, NOUS AVONS NOS LOIS !

PARTEZ ET NE REVENEZ PAS !!

COMMENT ? TU LES LAISSES PARTIR AINSI ? ABSURDITÉ !
NORTH A RAISON ! IL FAUT FAIRE UN EXEMPLE !

ET C'EST LE CAS ! ILS ONT ÉTÉ MARQUÉS DANS LEURS CORPS ET DANS LEURS CŒURS. LA LEÇON A ÉTÉ DONNÉE ET ILS LA RETIENDRONT ... N'EST-CE PAS ?

OUI... SEIGNEUR !

NOUS PARTONS !
LOIN DE VOUS, DE CET ENDROIT.
ADIEU !

TOI, VA-T'EN ÉGALEMENT ! TA PLACE N'EST PAS PLUS ICI QUE DANS LEUR VILLAGE !
MAIS... SI JE QUITTE CETTE FORÊT, LES VILLAGEOIS SE SAISIRONT DE MOI ET ME... ME...

ET EN QUOI TA MORT PROCHAINE ME CONCERNE-T-ELLE ?

PITIÉ, MON SEIGNEUR ! EMMENEZ-MOI AVEC VOUS !! JE SERAI VOTRE SERVANTE ! JE FERAI TOUT CE QUE VOUS VOUDREZ, JE SERAI...

QUE... ?
?!
LE SIGNAL !!
"ELLE" DÉSIRE QUE NOUS LA LUI AMENIONS !!
LE MOMENT SERAIT-IL VENU DE...
SILENCE !!!

QUEL EST TON NOM ?
BELLYANA !
JE M'APPELLE BELLYANA, MON SEIGNEUR !!
ACCROCHE-TOI, BELLYANA !
NOUS PARTONS !
HAA !
SOUS LES YEUX STUPÉFAITS DE BELLYANA, TERRE, RACINES ET PIERRE PRIRENT VIE ET FUSIONNÈRENT DE MANIÈRE OBSCÈNE...
... POUR DONNER NAISSANCE À DES ABERRATIONS DIGNES DE SES PIRES CAUCHEMARS, DE MONSTRUEUSES MONTURES DÉVOUÉES À LEURS MAÎTRES.
MENÉE À UNE ALLURE VERTIGINEUSE, LEUR CHEVAUCHÉE S'ENFONÇA AU CŒUR DES TERRES SAUVAGES

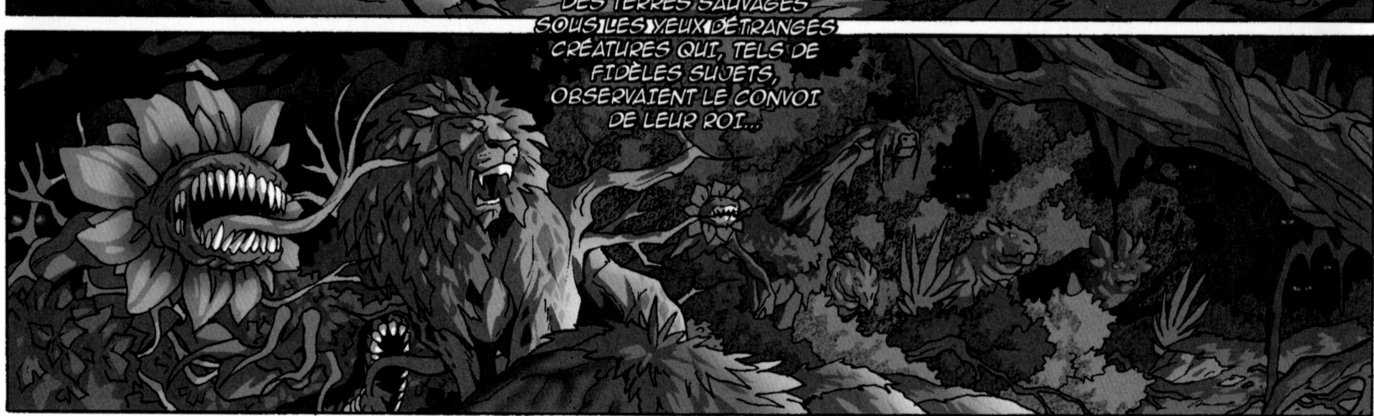
SOUS LES YEUX D'ÉTRANGES CRÉATURES QUI, TELS DE FIDÈLES SUJETS, OBSERVAIENT LE CONVOI DE LEUR ROI...

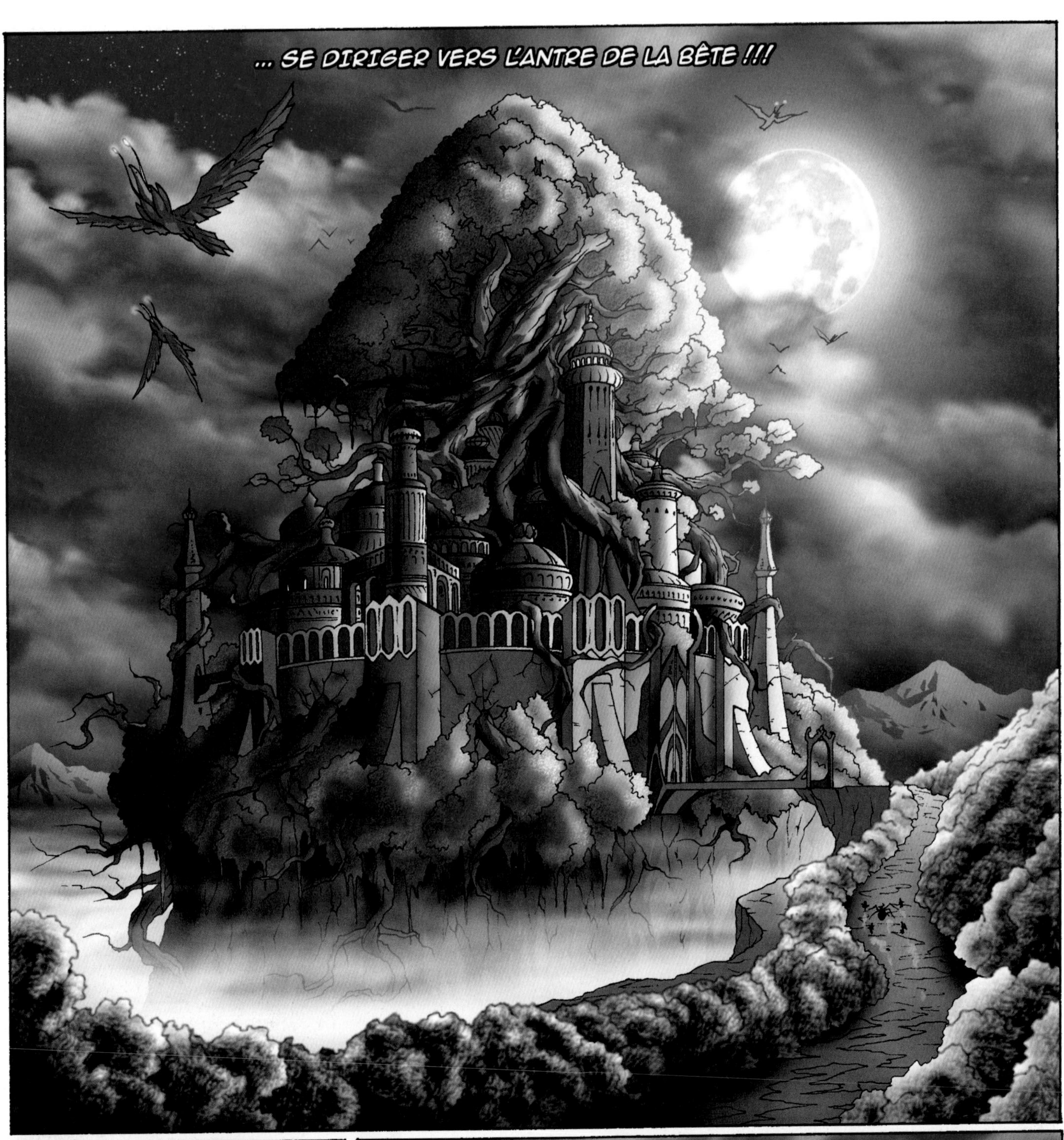
... SE DIRIGER VERS L'ANTRE DE LA BÊTE !!!

POURQUOI A-T-ON DÛ DESCENDRE DES MONTURES SI LOIN DE L'ENTRÉE DU CHÂTEAU ?
POUR NOURRIR LES SENTINELLES !
QUELLES SENTINELLES ?

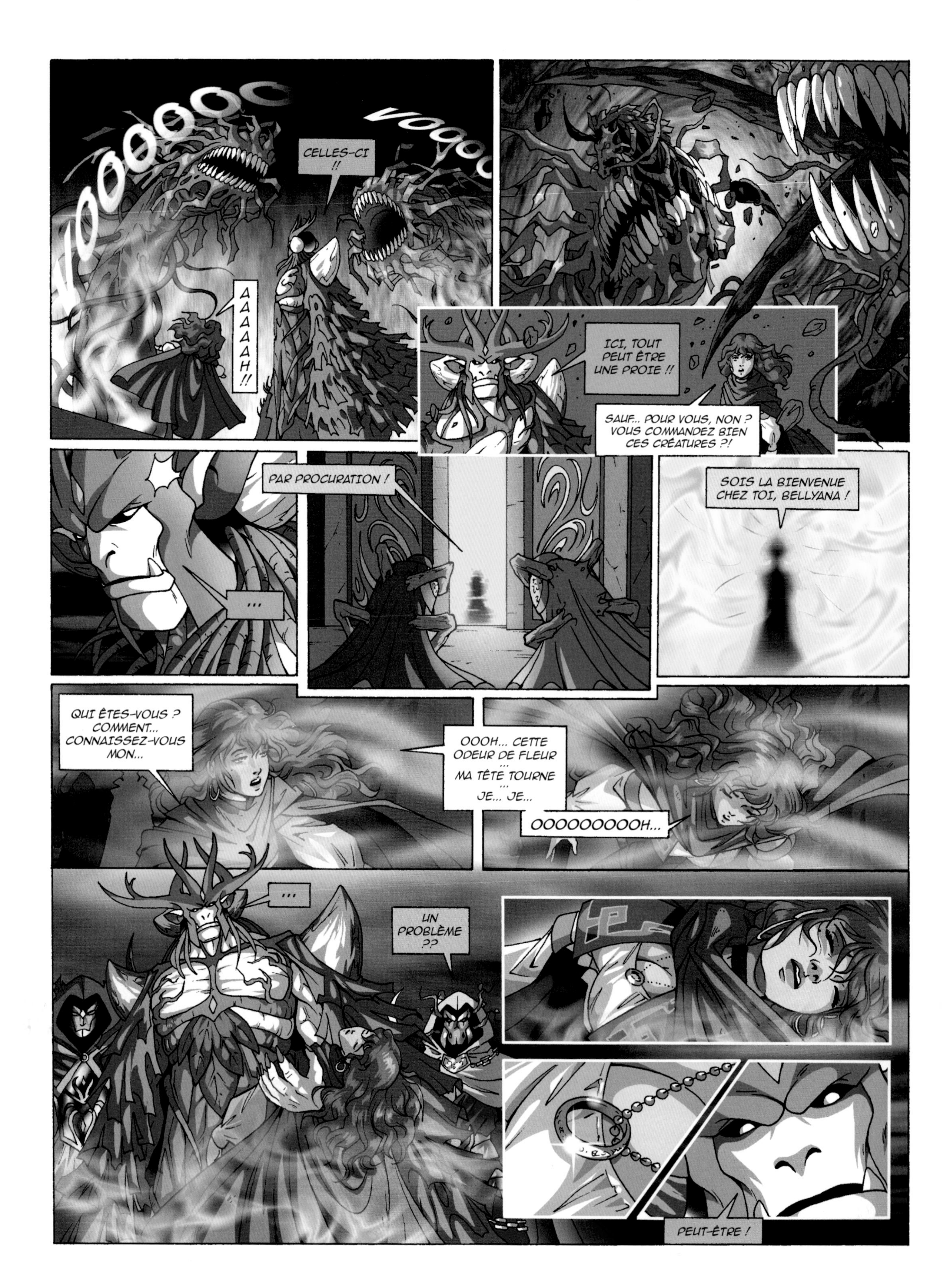
VOOOOOO
VOOOO
CELLES-CI !!
AAAAAAH !!
ICI, TOUT PEUT ÊTRE UNE PROIE !!
SAUF... POUR VOUS, NON ? VOUS COMMANDEZ BIEN CES CRÉATURES ?!
...
PAR PROCURATION !
SOIS LA BIENVENUE CHEZ TOI, BELLYANA !
QUI ÊTES-VOUS ? COMMENT... CONNAISSEZ-VOUS MON...
OOOH... CETTE ODEUR DE FLEUR ... MA TÊTE TOURNE ... JE... JE...
OOOOOOOOOH...
...
UN PROBLÈME ??
PEUT-ÊTRE !

SOIS LA BIENVENUE CHEZ TOI, BELLYANA !
AAAAAAAH !!
OÙ SUIS-JE ??
UN TEL RAFFINEMENT... SUIS-JE À L'INTÉRIEUR DU CHÂTEAU ?
C'EST VÉRITABLEMENT INCROYABLE !! QUELLE SPLENDEUR !!
JE PARTAGE CETTE OPINION, LA VUE EST DE TOUTE BEAUTÉ !
KRAM
QUE... QUE ME VOULEZ-VOUS ?!
JUSTE CONTEMPLER UNE BEAUTÉ TELLE QUE JE N'EN AI QUE PEU VU DE MA VIE DAMNÉE !
S'IL VOUS PLAÎT !! VOUS ME FAITES MAL !!
MAL ? QUE SAIS-TU DE LA SOUFFRANCE ? CE QUE JE POURRAIS TE FAIRE N'EST RIEN EN COMPARAISON DE CE QUI T'ATTEND !
NORTH ! QUE FAIS-TU DANS CETTE CHAMBRE ?
RIEN, SOUTH ! JE VEILLAIS JUSTE À CE QUE NOTRE INVITÉE NE MANQUE DE RIEN.
N'EST-CE PAS ?
C'EST... EXACT !
HABILLEZ-VOUS ET REJOIGNEZ-NOUS EN BAS DES ESCALIERS !!
CE SERA CHOSE FAITE POUR PEU QUE VOUS ME LAISSIEZ SEULE POUR LE FAIRE !

TU EN ES CERTAIN ?
QUASIMENT !!
LA VOICI ! FAISONS CE QUI A ÉTÉ PRÉVU !
BIEN !
MON... MES SEIGNEURS !
JE TIENS VÉRITABLEMENT À VOUS REMERCIER DE M'AVOIR...
SUIS-MOI !
C'EST VRAI CE QU'IL A DIT ? ELLE SERAIT...
NOUS LE SAURONS TRÈS BIENTÔT !
CE CHÂTEAU EST UNE SPLENDEUR, MAIS EST TOTALEMENT ENVAHI PAR LA VÉGÉTATION.
LE TEMPS QUE TU DEMEURERAS ICI, TU DEVRAS T'ACQUITTER DE DIFFÉRENTES TÂCHES...
... DONT LA PLUS IMPORTANTE SERA ...

... L'ENTRETIEN DES JARDINS.
C'EST...
...INCROYABLE !!
JE N'AI JAMAIS VU D'ENDROIT AUSSI BEAU !!
ÉCOUTE-MOI, TU VAS ÉGALEMENT DEVOIR SUIVRE CERTAINES RÈGLES DURANT TON SÉJOUR ICI.
QUE CE SOIT ICI OU À L'INTÉRIEUR DU CHÂTEAU, EN AUCUN CAS TU NE DOIS T'AVENTURER SEULE. IL ARRIVE PARFOIS QUE CERTAINES "CRÉATURES" DE LA FORÊT PÉNÈTRENT DANS MA DEMEURE. SI ELLES VENAIENT À TE TROUVER SANS LA PROTECTION DE L'UN D'ENTRE NOUS...
BELLYANA !!! CESSE DE GAMBADER ET PRÊTE OREILLE À MES INSTRUCTIONS !
OH ! PARDONNEZ-MOI, JE ME SUIS LAISSÉ GRISER PAR CET ENDROIT ! JE FERAI SELON VOTRE VOLONTÉ, MON SEIGNEUR.
MAIS... DOIS-JE CONTINUER À VOUS APPELER AINSI ? VOUS DEVEZ AVOIR UN NOM OU UN TITRE, N'EST-CE PAS ? ET JE NE ME VOIS PAS VOUS SURNOMMER "LA BÊTE" COMME LES VILLAGEOIS.

M'AS-TU SEULEMENT BIEN OBSERVÉ ? TROUVES-TU QU'UNE AUTRE APPELLATION ME CONVIENDRAIT MIEUX, VRAIMENT ?
JE NE CROIS PAS !

JE... NE DÉSIRAIS PAS VOUS BLESSER.

IL N'Y A PLUS RIEN À BLESSER ...
RENTRONS !

JE SUIS SOULAGÉ DE TE VOIR SAINE ET SAUVE, BELLYANA !
MOI AUSSI, JE SUIS CONTENTE DE TE REVOIR...
... PÈRE !!!
TOUT LE CONSEIL EST LÀ, BELLYANA !
EN DEHORS DES PERTES DE LA VEILLE, HÉLAS !
FAIS-NOUS TON RAPPORT ! AS-TU LOCALISÉ L'ARTEFACT ?

J'AI VISITÉ UNE BONNE PARTIE DU CHÂTEAU DE GADIMOS. IL EST VASTE ET JE LE SOUPÇONNE D'AVOIR DES PIÈCES SECRÈTES.

BIEN ! CONTINUE TES INVESTIGATIONS, MAIS PRENDS GARDE À TOI. CES MONSTRES SE MONTRERONT SANS PITIÉ S'ILS VIENNENT À DÉCOUVRIR TA VÉRITABLE IDENTITÉ.
CELA FAIT PRÈS DE DIX ANS QUE L'ON ME PRÉPARE À CETTE MISSION. JE SAURAI ME MONTRER PRUDENTE ET J'ATTEINDRAI AVEC SUCCÈS MES OBJECTIFS ...

MAIS GARDEZ CONFIANCE, J'AI BON ESPOIR D'Y PARVENIR. LA BÊTE ET LES GARDIENS ONT ÉTÉ DUPÉS PAR NOTRE MISE EN SCÈNE ET NE SE DOUTENT DE RIEN.

... RÉCUPÉRER NOTRE ARTEFACT ...
... ET TUER LA BÊTE !

CETTE FILLE EST... INTÉRESSANTE !!
TU AVAIS DEVINÉ JUSTE À SON SUJET !
ELLE FAIT EN EFFET PARTIE DU VILLAGE. QU'ALLONS-NOUS FAIRE ?
LUI DONNER CE QU'ELLE VEUT.

QUE... ?
IL Y A QUELQU'UN ?
...
BELLYANA !!!
BELLYANA !!!
DU CALME, EDGAR BEAUMONT !!
ELLE A SIMPLEMENT INTERROMPU LE SORTILÈGE DE COMMUNICATION. SORTILÈGE MAÎTRISÉ À LA PERFECTION, J'EN TÉMOIGNE !
J'EN ÉPROUVE UN GRAND SENTIMENT DE FIERTÉ. BELLYANA EST DE TOUTES MA MEILLEURE DISCIPLE !
NE ME DITES PAS DE ME CALMER, DAME ARGUILA ! ELLE EST PEUT-ÊTRE VOTRE ÉLÈVE, MAIS ELLE RESTE MA FILLE AVANT TOUT !
ÂGÉE D'À PEINE HUIT ANNÉES, VOUS ME L'AVEZ CONFIÉE AFIN QUE JE LUI ENSEIGNE LES SUBTILITÉS DE LA MAGIE NOIRE.
CECI DANS LE BUT DE LA PRÉPARER AU JOUR OÙ ELLE AFFRONTERA LA BÊTE. ALORS J'EN AI FAIT UNE SORCIÈRE !
VOUS N'IGNOREZ PAS CE QU'IMPLIQUE CET ÉTAT DE FAIT. SON ÂME EST DAMNÉE !
VOUS AVEZ SACRIFIÉ VOTRE FILLE POUR LE SALUT DE VOTRE VILLAGE. ALORS PERMETTEZ-MOI DE M'AMUSER DE CET ÉLAN DE PATERNALISME.
CROYEZ-MOI SI JE VOUS DIS QUE BELLYANA N'A PLUS RIEN DE CELLE QU'ELLE A UN JOUR ÉTÉ !
À CHOISIR ENTRE MA DISCIPLE ET LA BÊTE, JE NE SAIS LAQUELLE EST LA PLUS PROCHE DU DIABLE.
J'AI HÂTE DE CONNAÎTRE LE DÉNOUEMENT DU COMBAT FUTUR !

VOILÀ ! LA GERBE EST EN PLACE. IL N'Y A PLUS QU'À ...
AAAAAAAAAAH...

ESSAIE D'ÊTRE UN PEU PLUS PRUDENTE, BELLYANA !
BOM
JE SERAIS LE PREMIER NAVRÉ QU'IL ARRIVE QUELQUE CHOSE À CE JOLI FESSIER QUE JE TIENS.

AU FIL DES JOURS, JE VOUS TROUVE DE PLUS EN PLUS GROSSIER, SEIGNEUR NORTH !

ET TOI DE PLUS EN PLUS ARROGANTE ! N'OUBLIE PAS QUI SONT TES MAÎTRES !

SOUTH !
AVERTISSEMENT QUI VAUT AUSSI POUR TOI ! JE NE CROIS PAS QU'ELLE APPRÉCIERAIT QUE TU MOLESTES BELLYANA !

ALORS, QU'ELLE SE DÉPÊCHE D'AGIR ! LA PATIENCE N'EST PAS MON FORT !

"ELLE" ? UNE AUTRE FEMME VIT-ELLE ICI, SEIGNEUR SOUTH ?
...
FINIS TON TRAVAIL ET ATTENDS ICI MON RETOUR. JUSTE UN PROBLÈME...

... À RÉGLER !
MAIS... QU'EST-CE QUI TE PREND DE ME FRAPPER ?
TU OSES ME DEMANDER ...
... CE QUI ME PREND ??
PUISQUE TU REFUSES DE ME RÉPONDRE, CE SERA COUP POUR COUP !!
ÇA NE FONCTIONNE PAS COMME ÇA, NORTH !
EAST ?
C'EST NOTRE SALUT À TOUS QUE TU METS EN PÉRIL PAR TON COMPORTEMENT !
CETTE FILLE EST LA PREMIÈRE HUMAINE QU'ELLE DÉSIRE QU'ON LUI PRÉSENTE !
TU SAIS CE QUE CELA SIGNIFIE !
...
RIEN DE FÂCHEUX NE DOIT ARRIVER À BELLYANA ...
... CAR ELLE EST PEUT-ÊTRE CELLE QUI ROMPRA LE MALÉFICE ET QUI NOUS RENDRA NOTRE HUMANITÉ !!

UNE SEMAINE !
ET TOUJOURS AUNCUN INDICE SUR L'ENDROIT OÙ LA BÊTE DÉTIENT L'ARTEFACT DE GADIMOS !!

ET SI CES MONSTRES IGNORAIENT SON EMPLACEMENT ? ET SI LE SORCIER L'AVAIT DISSIMULÉ AVANT D'ÊTRE TUÉ PAR CES MONSTRES ?

SNIF ! HEIN ?

IL Y A QUELQU'UN EN BAS ! CE N'EST NI LA BÊTE NI SES ACOLYTES.

CETTE SILHOUETTE !!

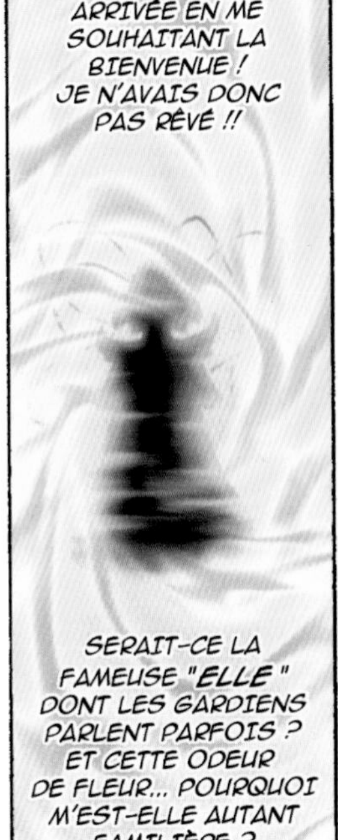
C'EST LA PERSONNE QUI M'A ACCUEILLIE LA NUIT DE MON ARRIVÉE EN ME SOUHAITANT LA BIENVENUE ! JE N'AVAIS DONC PAS RÊVÉ !!
SERAIT-CE LA FAMEUSE "ELLE" DONT LES GARDIENS PARLENT PARFOIS ? ET CETTE ODEUR DE FLEUR... POURQUOI M'EST-ELLE AUTANT FAMILIÈRE ?

TOC TOC TOC
... ENTREZ !

JE T'APPORTE TON DÎNER !

...
MON... MON SEIGNEUR !!
OUI ?

EST-CE QUE... VOUS POURRIEZ ME TENIR UN PEU COMPAGNIE CE SOIR ? ... S'IL VOUS PLAÎT !

DOCTEUR BEAUMONT ?!
...
JE VOUS TROUVE PARTICULIÈREMENT SOMBRE DEPUIS PLUSIEURS JOURS.
PUIS-JE FAIRE QUELQUE CHOSE POUR ADOUCIR VOTRE HUMEUR ?
DEPUIS COMBIEN D'ANNÉES N'AVEZ-VOUS PAS ENTENDU QUELQU'UN CHANTER DANS CE VILLAGE ?
PARDON ?
BELLYANA N'ARRÊTAIT PAS DE CHANTER LORSQU'ELLE ÉTAIT ENFANT. L'ENTENDRAI-JE À NOUVEAU LE FAIRE ?
DOCTEUR...
DAME ARGUILA A RAISON ! COMMENT PUIS-JE PRÉTENDRE ÊTRE UN PÈRE ALORS QUE J'AI DAMNÉ MA FILLE ?!
BELLYANA !
BELLYANA !!
BELLYANA !!
KLAM
BELLYANA ? EST-CE QUE ÇA VA ?
OUI-OUI ! JUSTE... JE SUIS VRAIMENT MALADROITE !!
JE VAIS TOUT DE SUITE LA RAMASS... AÏE !!
JE ME SUIS COUPÉE !!
FAIS-MOI VOIR !
... MON SEIGNEUR ...
LA PLAIE N'A PAS L'AIR PROFONDE ...

... MAIS MIEUX VAUT ÊTRE PRUDENT !!
L'ALGUE DONT EST FAITE MA CAPE A DES VERTUS CURATIVES. VOILÀ !
...
ETANT DONNÉ CETTE COUPURE ...
... TU ES DISPENSÉE DE TRAVAUX JUSQU'À NOUVEL ORDRE !!
MON SEIGNEUR !
MERCI DE M'AVOIR TENU COMPAGNIE CE SOIR !
...
JE PEUX SAVOIR CE QUE TU FAIS LÀ ?
À VRAI DIRE ...
... J'ALLAIS TE POSER LA MÊME QUESTION !!
JE LUI AI PORTÉ SON REPAS, COMME CHAQUE SOIR !!
VOUDRAIS-TU QU'ELLE MEURE DE FAIM, SOUTH ? "ELLE" EN SERAIT CONTRARIÉE.
TU ES RESTÉ PLUS DE DEUX HEURES DANS SA CHAMBRE !!
ELLE MANGE TRÈS LENTE-MENT !!
NE T'ATTACHE PAS À ELLE. COMME MOI, TU CONNAIS SON DESTIN !
ET RIEN N'IMPORTE PLUS QUE DE FAIRE EN SORTE QU'IL S'ACCOMPLISSE !
À QUI CROIS-TU PARLER AINSI ? JE NE SUIS PAS NORTH !!!
SI TU N'AS RIEN D'AUTRE À ME DIRE, JE ME RETIRE DANS MES QUARTIERS !!
NON, RIEN !
POUR L'INSTANT !

REGARDEZ !!!
LES VOILÀ !!!
ILS SONT ARRIVÉS !

COMME
ILS SONT
MAJESTUEUX
!!!

MAIS
POURRONT-ILS
TERRASSER
LA BÊTE ?
BIEN SÛR !
APRÈS TOUT,
CE SONT...

... LES FAMEUX
CHEVALIERS-LIONS !!
AVEC À LEUR
TÊTE...

...
GAËL-RAN,
LE LION
DES PLAINES !!

MAIS
POUSSEZ
PAS !!

DÉGAGE DE LÀ,
GAMINE !
MON DIEU !
ELLE VA SE
FAIRE PIÉTINER !!

BELLYANA !!!
GAËL-RAN !!!
IL A STOPPÉ LE SABOT AVEC SON BRAS !!

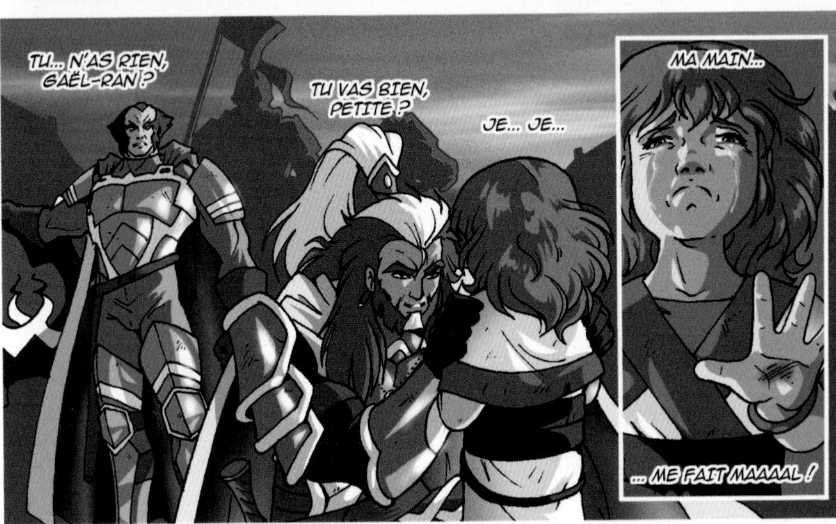
TU... N'AS RIEN, GAËL-RAN ?
TU VAS BIEN, PETITE ?
JE... JE...
MA MAIN...
... ME FAIT MAAAAL !

NE PLEURE PAS ! JE VAIS ARRANGER ÇA.
ET VOILÀ ! JE PARIE QUE ÇA FAIT DÉJÀ MOINS MAL, N'EST-CE PAS ?

PUISQUE TU AS ÉTÉ COURAGEUSE, JE VAIS TE CONFIER UNE TÂCHE TRÈS IMPORTANTE !!
J'AIMERAIS QUE TU PRENNES SOIN DE MON PENDENTIF JUSQU'À NOTRE RETOUR DE MISSION. JE PEUX TE FAIRE CONFIANCE, N'EST-CE PAS ?
IL FAUT SOIGNER TON BRAS, GAËL-RAN ! VOYONS S'IL Y A UN MÉDECIN ICI.
ALORS, C'EST VRAI ? VOUS ALLEZ VRAIMENT LE FAIRE ?
VOUS ALLEZ TUER LA BÊTE ?

JE TE LE PROMETS, PETITE FILLE ! CE SERA LA BÊTE ...

... OU NOUS !

MAIS... ÇA N'A AUCUN SENS !!
QUOI DONC ?

QUI EST LÀ ?
MON SEIGNEUR ??
EH BIEN, ÇA DÉPEND...

... LEQUEL TU ATTENDAIS !

TU PENSES CERTAINEMENT QUE LA BÊTE A DE L'ESTIME POUR TOI...
HUMPF !
... MAIS COMME LES AUTRES GARDIENS, IL N'ATTEND QU'UNE CHOSE...
AAAAH !!
... QUE TU LEUR RENDES LEUR SALE HUMANITÉ !!
MAIS TU SAIS QUOI ? JE M'AIME TEL QUE JE SUIS !! TOUTE CETTE PUISSANCE QUI COULE EN MOI...
... M'APPARTIENT !!! ET CE QUE JE VEUX ...
... JE LE PRENDS !!!
HOUCH !!
OH, SEIGNEUR...
MERCI DE M'AVOIR DÉMASQUÉ...
... SINON, COMMENT AURAIS-JE PU T'EMBRASSER ?!
ALORS VIENS LE CHERCHER !!
TIENS-TOI TRANQUILLE ! CE N'EST QU'UN MAUVAIS MOMENT À PASSER... POUR TOI !
NOOON !!

BELLYANA !!!
AIDEZ-MOI...

NORTH ... QU'AS-TU ...
... FAIT ?

TU NE LA TOUCHERAS PLUS JAMAAAIS !!!
VLAM
VLAM
VLAM

POURQUOI SOMMES-NOUS DANS LES JARDINS ? LA BÊTE M'A DISPENSÉE DE TRAVAUX JUSQU'À NOUVEL ORDRE.
TON SEIGNEUR A UN PRÉSENT POUR TOI !!
L'UN DE VOUS A ESSAYÉ DE ME VIOLER CETTE NUIT ! JE N'AI QUE FAIRE D'UN PRÉSENT VENANT DE MONSTRES TELS QUE VOUS !
DES MONSTRES, CERTES ! MAIS AVEC NOTRE PROPRE CODE DE LOYAUTÉ ET DE JUSTICE !!
NOUS SOMMES PEUT-ÊTRE JUGES ET BOURREAUX, MAIS PERSONNE N'ÉCHAPPE À NOS LOIS...
... MÊME PAS L'UN D'ENTRE NOUS !!
IL... IL EST EN VIE ? VOUS L'AVEZ ÉPARGNÉ ?

QUE...?
SI J'AI CHOISI DE LUI LAISSER LA VIE SAUVE, C'EST PARCE QU'IL T'APPARTIENT DE LA LUI ÔTER !
VOUS VOULEZ... QUE JE LE BRÛLE VIF ?
C'EST AINSI QU'IL FINIRA ! PAR MA MAIN...
... OU PAR LA TIENNE !!
P... PITIÉ !
QU'AS-TU DIT ?
JE... J'AI PERDU LA TÊTE !! PARDONNE-MOI POUR LE MAL QUE JE T'AI ... NE ME... TUE PAS, BELLYANA !
PERSONNE NE MÉRITE DE BRÛLER VIF !!
M... MERCI !!

BAF!
JE VOUS DÉTESTE...
JE VOUS DÉTESTE !!
TU EN AS LE DROIT.

CE PÉTALE ROUGE PRIS DANS SA CAPE... IL NE PROVIENT D'AUCUNE FLEUR DES JARDINS, J'EN SUIS CERTAINE !!
EST-CE QUE PAR HASARD...
TU VAS BIEN, BELLYANA ?
HUM-HUM !
JUSTE UN PEU... FATIGUÉE !
SI TU LE SOUHAITES, JE POURRAI TE TENIR COMPAGNIE LORSQUE JE T'AMÈNERAI TON DÎNER !
NON MERCI...
... JE SENS QUE JE VAIS ME COUCHER TÔT CE SOIR.

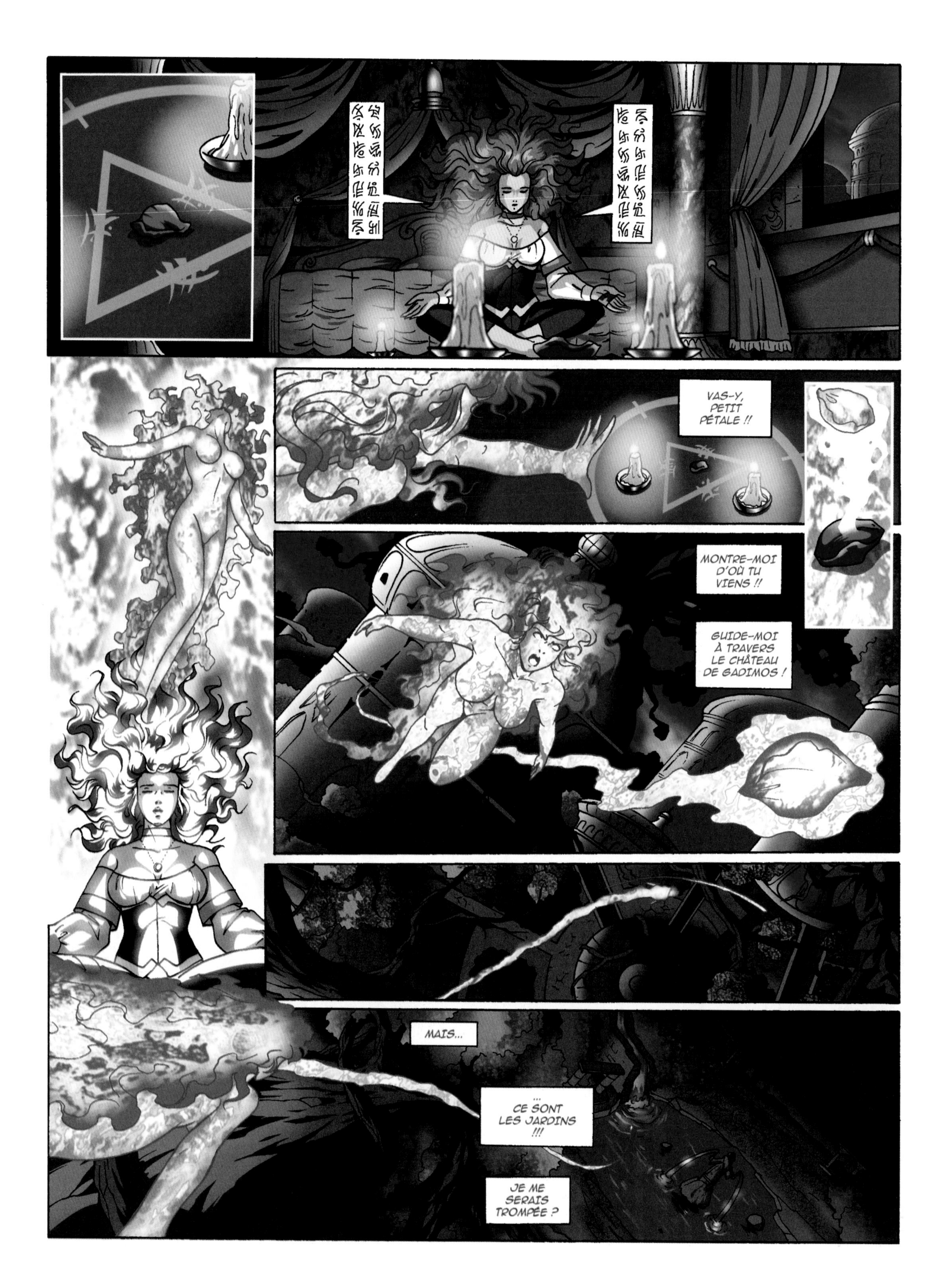
VAS-Y, PETIT PÉTALE !!
MONTRE-MOI D'OÙ TU VIENS !!
GUIDE-MOI À TRAVERS LE CHÂTEAU DE GADIMOS !
MAIS...
... CE SONT LES JARDINS !!!
JE ME SERAIS TROMPÉE ?

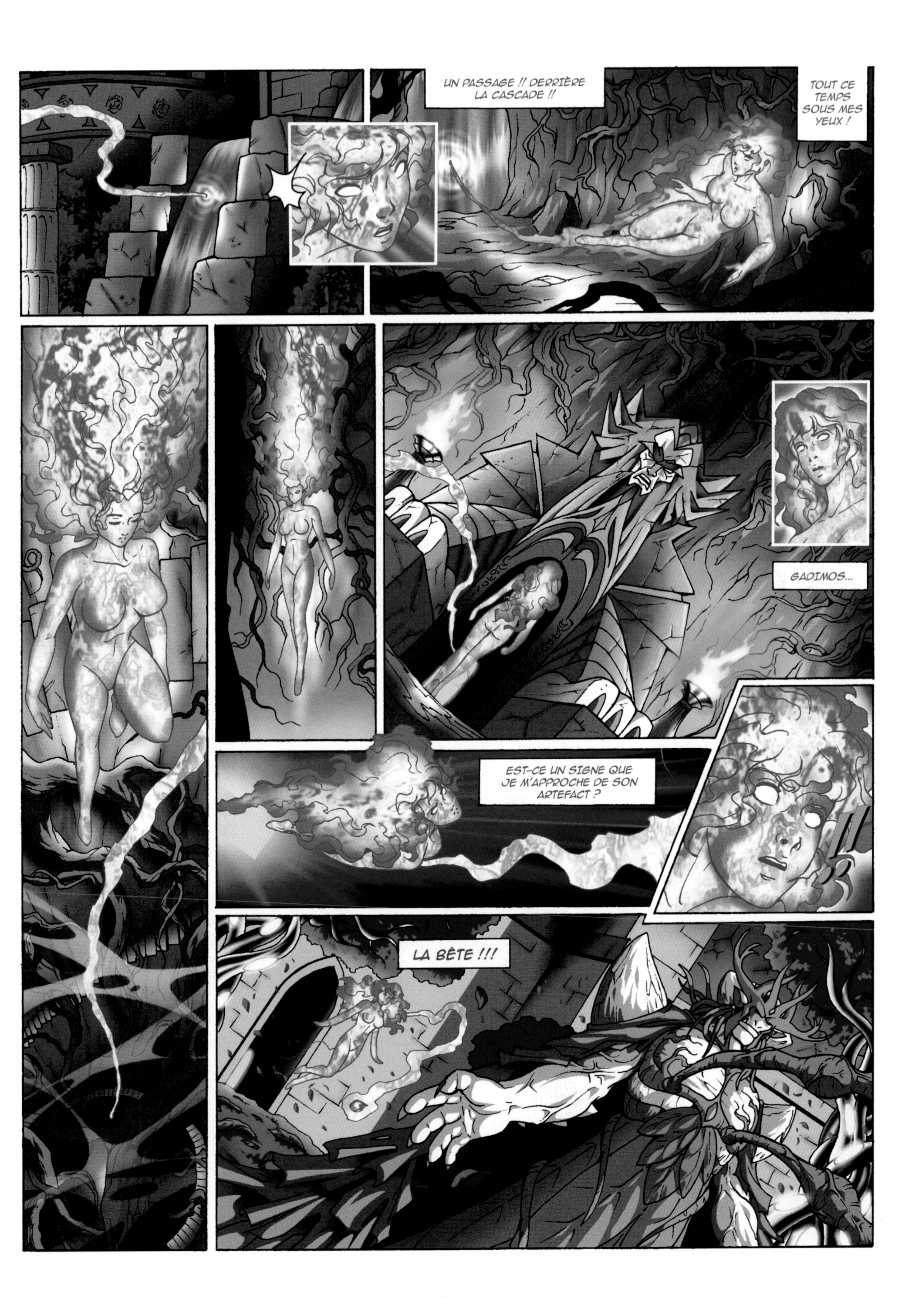
UN PASSAGE !! DERRIÈRE LA CASCADE !!
TOUT CE TEMPS SOUS MES YEUX !
GADIMOS...
EST-CE UN SIGNE QUE JE M'APPROCHE DE SON ARTEFACT ?
LA BÊTE !!!

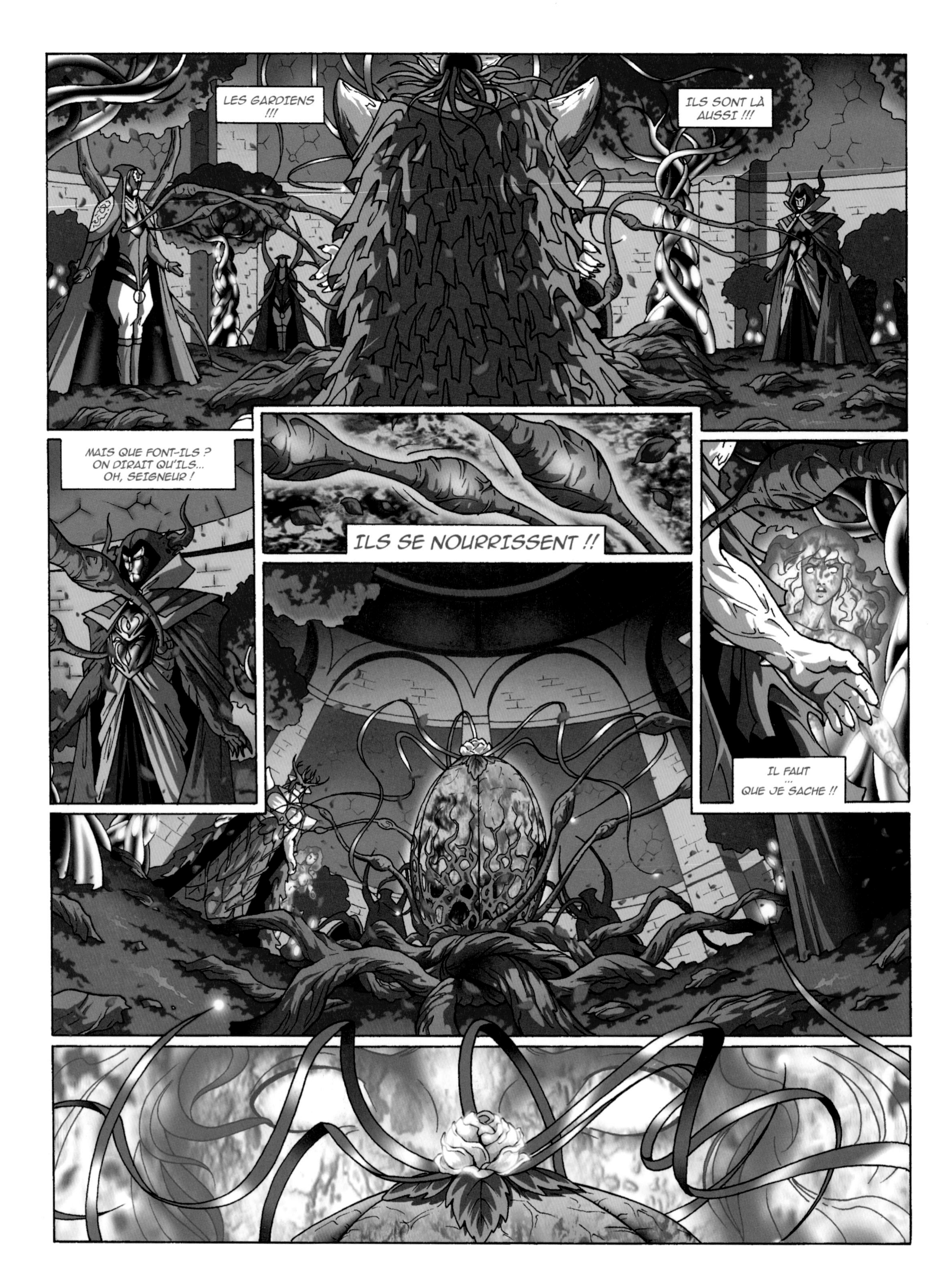
LES GARDIENS !!!
ILS SONT LÀ AUSSI !!!
MAIS QUE FONT-ILS ? ON DIRAIT QU'ILS... OH, SEIGNEUR !
ILS SE NOURRISSENT !!
IL FAUT ... QUE JE SACHE !!

CETTE ROSE BLANCHE !! C'EST CELLE QUE J'AI DONNÉE AU SORCIER GADIMOS IL Y A DIX ANS !
C'EST ELLE QUI NOURRIT LA BÊTE ET LES GARDIENS ? ... ÇA NE PEUT SIGNIFIER QU'UNE CHOSE ! LA ROSE EST ... L'ARTEFACT !!!
L'ARDEUR AVEC LAQUELLE CES MONSTRES DÉFENDENT LA ROSE NE M'ÉTONNE PLUS.
LEUR SURVIE EN DÉPEND, PLUS QUE CELLE DE MON VILLAGE.
MAIS IL N'Y A PAS À CHOISIR !!
L'ARTEFACT A ÉTÉ CRÉÉ POUR LES MIENS !!
IL... IL M'A VUE ? NON ! IMPOSSIBLE SOUS MA FORME SPIRITUELLE !!
JE... AAAAAAAAAAAAH !!!
AAAAAAAAAAAA
J'AI...
... RELÂCHÉ MA CONCEN...
GRAAARRAR
HA ! HA ! HA !
À PRÉSENT QUE JE SAIS À QUOI RESSEMBLE ET OÙ TROUVER L'ARTEFACT...
LE RETOUR NE S'EST PAS FAIT EN DOUCEUR, MAIS LE JEU EN VALAIT LA CHANDELLE !!!
... IL EST TEMPS DE M'EN EMPARER !!!

TCHAK
SAIS-TU QUE NOUS TE CHERCHONS PARTOUT DEPUIS PLUS D'UNE HEURE ? TU N'ES POURTANT PAS CENSÉE TE PROMENER SEULE DANS LE CHÂTEAU, JE ME TROMPE ?
QUI... ?
WEST, POUR VOUS DESSERVIR, MADEMOISELLE !
SEIGNEUR WEST ?! JE M'ENNUYAIS À MOURIR DANS MA CHAMBRE, ALORS JE ME SUIS DIT QU'UN PEU D'ACTIVITÉ ME FERAIT DU BIEN.
NOUS ACCORDONS UNE GRANDE IMPORTANCE AUX RÈGLES, ICI !
ET TOUTES ONT ÉTÉ RESPECTÉES !!
JE PEUX EN TÉMOIGNER ...
... PUISQUE C'EST MOI QUI L'AI AUTORISÉE À REPRENDRE SES TÂCHES !
OH ! JE NE SAVAIS PAS LA DEMOISELLE EN TA COMPAGNIE ! IL NE ME RESTE DONC PLUS QU'À ME RETIRER, JE CROIS !!

MERCI D'ÊTRE INTERVENU, MON SEIGNEUR. JE SAIS QUE JE N'AURAIS PAS DÛ VENIR ICI SANS SURVEILLANCE, MAIS JE ME LANGUISSAIS !!!
VEUX-TU MOURIR, BELLYANA ?
...
MON SEIGNEUR ??
J'AI DEMANDÉ ...
... VEUX-TU MOURIR ??
N... NON !
ALORS ÉCOUTE MES PAROLES, CAR D'ELLES DÉPEND TA VIE !!!
TU VAS REGAGNER TA CHAMBRE À L'INSTANT !! SUR TON LIT, TU TROUVERAS UNE LETTRE QUI T'INDIQUERA UN ITINÉRAIRE POUR QUITTER LE CHÂTEAU À L'INSU DES AUTRES GARDIENS, CHOSE QUE TU FERAS AVANT MINUIT !! ... SI CETTE HEURE PASSÉE TU ES ENCORE DANS MA DEMEURE...
... JE TE TUERAI DE MES PROPRES MAINS !!!

TIC
TAC
TIC
TAC
TIC TAC
TIC
TAC
TAP
TAP
TAP
TAP
J'AVAIS DEMANDÉ QU'ON NE ME DÉRANGE EN AUCUNE FAÇON !
NAVRÉ QUE NOS LOIS EMPIÈTENT SUR TES HUMEURS !!
DES VILLAGEOIS ONT PÉNÉTRÉ À L'INTÉRIEUR DE LA FORÊT INTERDITE...
TAP TAP
TAP
... ET SE DIRIGENT VERS LE CHÂTEAU !!
TE JOINS-TU À NOUS POUR LES REPOUSSER ?

TU AS LE MÊME ÉCLAT QUE DANS MES SOUVENIRS D'ENFANT. TOI, JADIS MON PLUS GRAND TRÉSOR...
... LE SORCIER GADIMOS A FAIT DE TOI L'OBJET DE SALUT DE TOUS LES MIENS ! JE SUIS ICI POUR TE PRENDRE, MA ROSE, NOTRE ARTEFACT !!!
AINSI, TU AVAIS BEL ET BIEN TROUVÉ LA SALLE SECRÈTE ...
... COMMENT EXPLIQUER AUTREMENT L'INTERVENTION DE TON PÈRE ET DE TES AMIS VILLAGEOIS ? ...
... EN RÉALITÉ UNE DIVERSION QUI DEVAIT TE PERMETTRE DE VOLER LA ROSE !
LA BÊTE ?!
ELLE... SAIT TOUT ?! NOON ! C'EST... IMPOSSIBLE !! NOTRE PLAN ÉTAIT SANS FAILLE ! ET POURTANT ... CE MONSTRE EST BEL ET BIEN AU COURANT !!
MAIS... COMMENT ET QUAND A-T-IL DÉCOUVERT LA SUPERCHERIE ? ET POURQUOI NE M'A-T-IL PAS TUÉE DÈS CE MOMENT-LÀ ?

VOIS-TU, BELLYANA, JE CONSENS À TE DONNER UNE DEUXIÈME CHANCE... CE QUE JE NE FAIS JAMAIS !
OUBLIE L'ARTEFACT, REJOINS TON VILLAGE ! ET JE TE PROMETS QUE PLUS JAMAIS L'UN DES TIENS NE MOURRA !!
QUEL FOURBE !!
IL ME PARLE GENTIMENT, PRESQUE AMICALEMENT ...
MAIS IL SE POSITIONNE ENTRE LA ROSE ET MOI !! IL SE PRÉPARE À UN ÉVENTUEL COMBAT !
TRÊVE DE PAROLES !! SI TU SAIS QUI JE SUIS, TU N'IGNORES PAS QU'UNE PARTIE DE MA MISSION CONSISTE À TE TERRASSER !!!
JE VAIS VENGER TOUTES TES VICTIMES !!! MES PROCHES ET AMIS, AINSI QUE LE CHEVALIER GAËL-RAN ET...
GAËL-RAN ...
... VOILÀ UN NOM QUE JE N'AI PAS ENTENDU DEPUIS LONGTEMPS !!!
JE ME DOUTE QUE TU NE ME CROIRAS PAS, MAIS LA ROSE N'EST PAS CE QUE TU CROIS ! ELLE N'APPORTE QUE MALHEUR À CEUX QUI LA CONVOITENT !!!
ÉVIDEMMENT ! ET JE PRÉSUME QUE C'EST POUR CETTE RAISON QUE TU LA PROTÈGES À CE POINT ?
L'ARTEFACT EST À MOI !!
À MOI !!!

HOOOO... UNE SANGUINITE ?! UNE ÉPÉE FAITE DE SANG SOLIDIFIÉ ! DE LA MAGIE NOIRE DE HAUT NIVEAU !! MAIS QUI A L'INCONVÉNIENT ...
... DE PUISER DANS LES FORCES VITALES DE LA PERSONNE QUI LA CRÉE !!
PENSES-TU VRAIMENT QUE TU POURRAS ME FAIRE LE MOINDRE MAL DANS CET ÉTAT ?
ELLE N'AURA RIEN À FAIRE SI CE N'EST S'EMPARER DE LA ROSE !!
?!
QUI... ?
BELLYANA !! TU DÉSIRES L'ARTEFACT ? IL EST À TOI, PRENDS-LE !!
JE NE LA LAISSERAI PAS FAIRE !!
VOUS... ME LE LAISSEZ ?
BELLYANA, NON !!
LES MASQUES SONT TOMBÉS !! AINSI, TU NOUS AS TRAHIS... POUR CETTE FILLE !!
BELLYANA A ÉTÉ CHOISIE POUR DEVENIR LA NOUVELLE GARDIENNE DE LA ROSE ! NOUS ATTENDONS CELA DEPUIS PLUS D'UNE DÉCENNIE !!
LES GARDIENS !!!

... ET TU VOUDRAIS NOUS ÔTER...
... TOUTE CHANCE DE RETROUVER ...
... NOTRE HUMANITÉ ??
QUELLE HUMANITÉ ?!!!

MAIS... QUE SE PASSE-T-IL ICI ?
POURQUOI SE BATTENT-ILS AINSI ? C'EST DE LA FOLIE PURE ! JE SUIS LA CAUSE D'UN TEL CHAOS DANS LEURS RANGS ?! MAIS... COMMENT ?
LA BÊTE PREND L'AVANTAGE DANS L'AFFRONTEMENT MALGRÉ LE NOMBRE SUPÉRIEUR DE SES ADVERSAIRES !!!
ET MOI, JE SUIS LÀ, TREMBLANT COMME UNE FEUILLE, MA SANGUINITE À LA MAIN !! JE SUIS TERRIFIÉE ET INCAPABLE DE FAIRE LE MOINDRE GESTE !!!
JE VEUX RENTRER CHEZ MOI !!
DUM DUM
?!
CE BRUIT !!
CE RYTHME QUI RÉSONNE DANS CETTE SALLE... ON DIRAIT...
... UN BATTEMENT DE CŒUR !!
DUM DUM
DUM DUM
NON... PAS MAINTENANT !!
DUM DUM
DUM DUM
TU ENTENDS ? C'EST LE COMPTE À REBOURS DE TON DESTIN !!

DUM DUM
DUM DUM
DUM DUM
DUM DUM
DUM DUM
LA ROSE SE RÉVEILLE !!!
NON...
ELLE SE RÉVEILLE ?! ... SOUTH EN PARLE COMME D'UN ÊTRE CONSCIENT ! C'EST ABSURDE !!
BELLYANA A ÉTÉ CHOISIE POUR REPRENDRE LE FLAMBEAU ! RETROUVE TA RAISON, MON AMI, IL N'EST PAS TROP TARD !!
CELA FAIT PLUS DE DIX ANS QU'IL EST TROP TARD ...
... MON AMI !!!
À CHOISIR ENTRE MON HUMANITÉ ET MON ÂME...
... JE DÉCIDE DE GARDER MON ÂME !!
ALORS IL NE RESTE QUE LA VIE ...
... QUE JE PEUX TE PRENDRE !!

PLUS DE LA MOITIÉ DE MA VIE A ÉTÉ NÉCESSAIRE POUR ME PRÉPARER À CE JOUR ! CONTRAIREMENT À CE QUE TU SEMBLES PENSER, LES CHOIX DE NOS EXISTENCES NE NOUS APPARTIENNENT PAS !!
B... BELLYA... NA !
APPELLE ÇA LE DESTIN OU LA FATALITÉ !! LE FAIT EST...
... QU'ON N'Y ÉCHAPPE JAMAIS !!!
ON N'Y ÉCHAPPE JAMAIS !!!
JAMAIS...
BEL...
CRAC !!
...LYA...
UN HOMME SORT... DU CORPS DE LA BÊTE !!!
NAAA !!

ON... ON DIRAIT...
... LE CHEVALIER GAËL-RAN !!!
S'IL TE PLAÎT... SAUVE-TOI ... PENDANT QUE... QUE...
... COMMENT POUVEZ-VOUS ÊTRE LA BÊTE PUISQUE...
... MON VILLAGE AVAIT FAIT APPEL À VOUS POUR LA TUER ?!
COMMENT ?...
TAP
TAP
TAP
ET C'EST... CE QUE J'AI FAIT !!!
TU N'AS TOUJOURS PAS COMPRIS, BELLYANA ? ... TU ME DÉÇOIS BEAUCOUP !!
CETTE VOIX ...
IL... EST TROP TARD...
SEIGNEUR ...
LA ROSE S'EST RÉVEILLÉE !!!
POUR UN PEU, JE ME DEMANDERAIS SI J'AI FAIT LE BON CHOIX EN TE DÉSIGNANT POUR SUCCÉDER À GAËL-RAN !!
VOIS-TU, TA PRINCIPALE ERREUR A ÉTÉ DE PENSER QUE LA ROSE APPARTENAIT À LA BÊTE...
... ALORS QU'EN RÉALITÉ ...
... LA BÊTE APPARTIENT ...

... À LA ROSE !!!
GAËL-RAN ...
LE SORCIER GADIMOS A BIEN CRÉÉ UN ARTEFACT À LA DEMANDE DE TON VILLAGE ...
IL A MALGRÉ TOUT COMMIS LA TERRIBLE ERREUR D'EN FAIRE UN ÊTRE PENSANT !!!
LA ROSE S'EST RETOURNÉE CONTRE SON CRÉATEUR ET L'A TRANSFORMÉ EN UNE CRÉATURE VOUÉE À SA NOUVELLE MAÎTRESSE. GADIMOS EST DEVENU ...
LA PREMIÈRE BÊTE !!!

LA... PREMIÈRE... BÊTE ?
OUI, CELLE QUI LA PREMIÈRE FOIS VOUS A MIS EN GARDE DE NE PAS TENTER DE VOUS EMPARER DE L'ARTEFACT !
CELLE QUE LES CHEVALIERS-LIONS ET MOI AVONS ÉTÉ CHARGÉS D'ÉLIMINER POUR VOTRE VILLAGE !

CE FUT UN VÉRITABLE MASSACRE !!! LA BÊTE DÉCIMA VINGT DE MES HOMMES DÈS LES PREMIÈRES MINUTES DE L'AFFRONTEMENT.
NOUS AVIONS AFFAIRE À UN VÉRITABLE DÉMON !!

MAIS NUL N'EST IMMORTEL ! JUSTE AVANT DE LA DÉCAPITER, J'AI CRU VOIR LA BÊTE SOURIRE !
LA VICTOIRE, BIEN QUE CHÈREMENT GAGNÉE, NOUS APPARTENAIT !!!
UNE VICTOIRE QUI PRIT TRÈS VITE UN GOÛT AMER.
NOUS AVIONS TUÉ LE SERVITEUR DE L'ARTEFACT !!
LA ROSE FIT DE NOUS SES NOUVEAUX GARDIENS ! CHARGÉS QUE NOUS ÉTIONS DE LA SERVIR, ET CE...
... JUSQU'À CE QU'ELLE JUGE UNE NOUVELLE PERSONNE DIGNE DE NOUS SUCCÉDER, SEUL ÉVÉNEMENT CAPABLE DE NOUS SAUVER DE SA MALÉDICTION.

LA NUIT DE TON ARRIVÉE DANS LA FORÊT, EST APPARU LE SIGNE QUE NOUS ATTENDIONS DEPUIS PLUS DE DIX ANS.
LA ROSE T'AVAIT CHOISIE POUR DEVENIR LA NOUVELLE BÊTE !!!

DANS UN PREMIER TEMPS, J'AI TOUT FAIT POUR QUE CELA S'ACCOMPLISSE ! T'AMENER ICI, TE FAIRE TRAVAILLER À PROXIMITÉ DE L'ENTRÉE SECRÈTE. J'AI MÊME FAIT EN SORTE QUE TU TROUVES LE PÉTALE COINCÉ DANS MA CAPE !
NON ! VOUS... VOUS ÊTES GRIÈVEMENT BLESSÉ !

MAIS... TE CÔTOYER CES DERNIERS JOURS M'A RAPPELÉ CE QUE C'ÉTAIT...
... QUE DE TENIR À LA VIE D'UNE PERSONNE ET...
...
... DE SE BATTRE POUR ELLE !
PRENDS SOIN DE MON PENDENTIF JUSQU'À CE QUE NOUS NOUS RETROUVIONS... DANS CE MONDE OU DANS L'AUTRE !
GAËL-RAN ...

MONOLOGUE TRÈS ÉMOUVANT S'IL EN EST ! J'ESPÈRE QU'IL N'ÉTAIT PAS DESTINÉ À M'ÉMOUVOIR, CAR JE NE SUIS PAS DISPOSÉE À PARDONNER TA TRAHISON !

J'AVOUE CEPENDANT REGRETTER...

... D'AVOIR À ME DÉBARRASSER D'UN GARDIEN DE TA QUALITÉ !!!

BELLYANA...
OOOH... MES DOUCES ! JE VOUS AI SOUILLÉES AVEC LE SANG DE CET HOMME ?! JE SUIS DÉ-SO-LÉE !!
ALLONS, BELLYANA... NE SOIS PAS TRISTE !! LA VIE QUI T'ATTEND EST LOIN D'ÊTRE DÉSAGRÉABLE, TU SAIS !
ROSE...
... RÉPONDS-MOI ! EST-CE QUE TU AURAIS REDONNÉ LEUR HUMANITÉ À CES HOMMES SI TOUT S'ÉTAIT PASSÉ COMME ILS L'AVAIENT SOUHAITÉ ?
HUM... JE N'EN SAIS RIEN, À VRAI DIRE ! JE N'AVAIS PAS PRIS MA DÉCISION... C'EST POSSIBLE !
APRÈS TOUT, C'EST TOI LA PREMIÈRE QUI T'ES OCCUPÉE DE MOI QUAND JE N'ÉTAIS QU'UNE SIMPLE ROSE !!
ET SI JE REFUSE ?
MAIS NE TE FAIS PAS DE SOUCIS !!! TU SERAS, À N'EN PAS DOUTER, LA MEILLEURE BÊTE DE TOUTES, BELLYANA !
OH ?! JE SERAIS DÉÇUE, CERTES ! MAIS COMME TU LE DISAIS IL Y A UN INSTANT, LE CHOIX DE TON EXISTENCE NE T'APPARTIENT NULLEMENT !

JE SUIS CELLE QUI T'A OFFERTE AU SORCIER GADIMOS !! TOUS CES MORTS, TOUTES CES SOUFFRANCES ONT DÉCOULÉ DE CE SIMPLE GESTE !! ET TU VOUDRAIS QUE J'ACCEPTE ÇA SANS SOURCILLER ?
JE VAIS T'ENVOYER EN ENFER, MÊME SI CELA SIGNIFIE T'Y ACCOMPAGNER !!!
ALORS PRENDS-MOI LA MAIN ET MONTRE-MOI LE CHEMIN... MAMAN !
BELLYANA...
... TU ES MAGNIFIQUE !!!

LE PLAN DE BELLYANA NE FONCTIONNE PAS, DOCTEUR BEAUMONT !!
FRÈRE ÉDOUARD A RAISON !!
OÙ SONT PASSÉS LA BÊTE ET LES GARDIENS ? CE SONT EUX QUE NOUS ÉTIONS CENSÉS ATTIRER HORS DU CHÂTEAU AFIN DE LAISSER LE TEMPS À VOTRE FILLE DE SUBTILISER L'ARTEFACT !!
PATIENTONS ENCORE UN PEU ! À CHACUNE DE NOS INTRUSIONS, LA BÊTE EST INTERVENUE ! JE SUIS CERTAIN QUE CE SERA ENCORE LE CAS !!
ET QUE VOULEZ-VOUS...

... À
LA BÊTE ?

LA... VOILÀ...
LA BÊTE !!

NOUS... NOUS SOUHAITONS NÉGOCIER AVEC VOUS, SEIGNEUR ! N'Y AURAIT-IL PAS MOYEN DE NOUS ENTENDRE AU SUJET DE L'ARTEFACT ? PEUT-ÊTRE POURRIONS-NOUS ...

SOUVENEZ-VOUS DE MES PAROLES TELLES DES LOIS ! IL N'Y AURA NI NÉGOCIATIONS ...

... NI ARTEFACT ...

... NI RETOUR DE VOTRE FILLE !!
QU... QUOI ?

AVEZ-VOUS RÉELLEMENT CRU QUE VOTRE MISÉRABLE MANIGANCE ALLAIT PORTER SES FRUITS ET QUE L'ARTEFACT VOUS SERAIT SI FACILEMENT RETOURNÉ ? ET CE, SANS QUE JE ME RENDE COMPTE DE QUOI QUE CE SOIT ? C'EST VOTRE ARROGANCE ET ELLE SEULE QUI A CONDUIT BELLYANA À LA MORT CETTE NUIT !!!

RETOURNEZ DANS VOTRE VILLAGE !! VOTRE DEUIL SERA UNE PUNITION SUFFISANTE POUR CETTE FOIS !! MAIS UNE NOUVELLE TENTATIVE DE VOTRE PART DE DÉROBER MON BIEN SE TRADUIRA PAR LA MORT DE VOS FAMILLES, DE L'ANCIEN JUSQU'AU NOUVEAU-NÉ !

RETENEZ LA NOUVELLE LOI DE LA BÊTE !!!
OUI... SEIGNEUR !!!

CETTE NUIT, BEAUCOUP DE LARMES FURENT VERSÉES ! UN PÈRE PLEURA SON ENFANT, DES HOMMES ET DES FEMMES PLEURÈRENT L'UNE DES LEURS ! MAIS DE TOUTES CES LARMES, LES PLUS AMÈRES FURENT CELLES VERSÉES PAR LA BÊTE... CELLE QU'ON APPELAIT AUTREFOIS BELLYANA !
Fin

LA BELLE ET LA BÊTE

CAHIER GRAPHIQUE